Chivito enamorado

Lada Kratky

Ilustraciones de Jon Goodell

HAMPTON-BROWN

Chivito y sus amigos

Benito

Cochi

Blanca

Estrellita

Chivito

Contenido

Mapa 4

1 Chivito se enamora 7

2 El ramo de flores 17

3 El cumpleaños de Chiquichula 25

4 Chivito, el poeta 33

5 Chivito se arrepiente 42

Canción 48

El pueblo de Chivito

N
O
E
S

Chivito se enamora

Una mañana como cualquier otra, Chivito salió de su casa. Siguió el caminito que lo llevaba a la escuela. Iba pateando las piedritas que encontraba por el camino.

De pronto oyó unas risitas. Volteó la cabeza y alcanzó a ver a tres chivitas que venían por el camino.

Chivito se escondió detrás de un arbusto.

—Mira, Blanca —dijo una—. Encontré unas fresas.

—Pero, Estrellita —contestó Blanca—, ¿no viste estas margaritas deliciosas?

Chivito conocía a Blanca y a Estrellita de la escuela. Pero no conocía a la otra chivita.

Era pequeña, de color café clarito. Tenía ojos grandes y pestañas largas. Su pelo era rizado y muy bonito.

—¡Vamos! —exclamó la chivita. Chivito quedó maravillado. La voz que oyó era pura música.

—Ay, no, Chiquichula. ¡Ven a probar las margaritas! —exclamó Blanca.

“Se llama Chiquichula y
es verdad”, pensó Chivito:
“¡Es chiquita y es chula!”.

Chiquichula dio un salto
hacia sus amigas.

Las chivitas empezaron a comer las margaritas junto al arbusto que ocultaba a Chivito.

"¡Ay, no! ¡Me van a ver!", pensó Chivito, tratando de hacerse chiquito.

En eso, una abejita se posó en la nariz de Chivito y lo hizo estornudar.

—¡UY! —exclamaron Blanca y Estrellita, asustadas.

—¡Hola! —saludó Chiquichula, sonriendo.

—¡Hola! —exclamó Chivito, y salió corriendo.

Llegó a la escuela y se sentó.
Al rato entró la profesora con
Chiquichula y dijo:

—Les presento a Chiquichula,
su nueva compañera.

Chivito se
sentía raro. Pero
también sentía mucha felicidad.

El corazón le dio tres brincos.
Entonces comprendió.

Estaba enamorado.

El ramo de flores

Chivito estaba enamorado de Chiquichula. Pero no sabía cómo decírselo.

Había visto a su papá regalarle flores a su mamá.

A Chivito se le ocurrió darle un ramo de flores a Chiquichula. Esa mañana, en camino a la escuela, se puso a recoger flores.

Cortó unas margaritas.

Cortó un ramito de lavanda.

Luego añadió unas violetas.

¿Cómo le iba a hablar a Chiquichula? Distraído, le dio un mordisco a una margarita. Mmm. . . ¡Qué dulce!

Se acordó de que los príncipes les besan la mano a las damas.

—Ejem —dijo Chivito, imaginándose que Chiquichula estaba ahí—. Soy Chivito, de la familia Barriga, a tus órdenes.

Chivito tomó la pata imaginaria y le dio un beso.

—¡Ay, no! No me atrevo a besarle la pata —suspiró Chivito. Le dio un mordisco a la lavanda.

Luego Chivito se acordó de que los caballeros ayudan a las damas a llegar a sus casas.

—Hola, Chiquichula —le dijo Chivito al aire—. ¿Te ayudo a llegar a tu casa?

Chivito sacudió la cabeza.

—Pero si ella sabe muy bien llegar a su casa sin mi ayuda.

Chivito siguió pensando. Le dio un mordisco a una violeta. ¡Qué fragante estaba!

Luego, mirando el ramo, se dio cuenta de que se había comido ya todas las flores.

—Pues, quizás le hablo mañana —decidió Chivito.

Siguió caminando a la escuela, comiéndose los tallos que le quedaban.

El cumpleaños de Chiquichula

Un día cuando llegó a la escuela, Chivito encontró un sobrecito en su escritorio. Lo abrió con mucha emoción. Era una invitación.

¡Fiesta de cumpleaños!

Para: Chiquichula

Fecha: Sábado, 3 de la tarde

Lugar: Casa junto al gran pino

¡Te esperamos!

—¡Chiquichula me invitó a su fiesta! —gritó Chivito, muy emocionado.

Se pasó el resto del día en las nubes.

El sábado, Chivito cortó los chiles más bonitos de su huerta, para regalárselos a Chiquichula.

Los puso en una canasta. Esa tarde, los llevó a la casa junto al gran pino.

Tocó a la puerta, muy nervioso. La abuelita de Chiquichula abrió y le dijo:

—Eres el primero en llegar.

Chivito pasó a la sala y le dio los chiles a Chiquichula.

—¡Me encantan los chiles! —dijo Chiquichula—. Y te va a gustar este jugo de espinaca.

Le pasó un vaso y una servilleta de papel a Chivito.

Chivito aceptó la servilleta y, distraído, le dio un mordisquito.

Chiquichula le hablaba de una cosa y de otra. Chivito dobló la servilleta y le dio otro mordisco sin pensar.

Chivito seguía mordisqueando una servilleta tras otra. Al rato, Chiquichula vio el montoncito de servilletas mordisqueadas. Agarró una.

—A ver . . . —dijo.

—Ba-a-a —baló Chivito, avergonzado.

—¡Ay! ¡Papel picado! —exclamó Chiquichula.

Las servilletas estaban llenas de diseños que parecían flores y chiles.

—Mejor dicho, es papel mordisqueado —sonrió Chivito, sonrojándose.

En eso entraron Cochi, Benito, Blanca y Estrellita.

—¡Miren lo que hizo Chivito! —dijo Chiquichula.

Maravillado, Cochi dijo:

—No sabía que sabías hacer papel picado.

—¡Ni yo tampoco! —contestó Chivito.

Chivito, el poeta

—Atención, niños —dijo la profesora Pantuflas—. Mañana es el Día de los Enamorados.

—Uuu . . . —exclamaron todos.

—En honor a ese día, van a escribir un poema para un compañero —siguió la profesora.

—¡Oh! —protestaron todos.

—En un poema, hay palabras que riman, como *ratón* y *melón*. ¿Entienden? —continuó ella.

—Sí, maestra —contestaron.

Chivito decidió que le escribiría un poema a Chiquichula.

—Oye, Benito, ¿qué rima con esto? —le preguntó a su amigo—: "Chiquichula en mi salón . . ."

—Pues . . . "Es más linda que un melón" —le respondió Benito.

—¿Seguro? —preguntó Chivito.

—¿No es verdad? —dijo Benito, y Chivito contestó:

—Sí, es verdad.

—¿Y no rima? —insistió Benito.

—Pues, sí —dudó Chivito, pero siguió escribiendo.

—"Tiene dos orejas . . . "

—escribió Chivito.

—". . . como dos bandejas"

—acabó Benito.

—Eso está feo —dijo Chivito.

—¡Lo importante es que rime!

—declaró Benito.

—Bueno, si estás seguro

—dijo Chivito, no muy seguro.

Chivito siguió escribiendo:

"Es más fina . . ."

—". . . más fina que una gallina" —concluyó Benito—. Hay gallinas muy finas, ¿sabes?

—Entonces ya terminé —dijo Chivito—. Pero creo que no voy a firmar el poema.

Metió su poema en un sobre con sólo el nombre de Chiquichula.

Al día siguiente, la profesora Pantuflas repartió los poemas.

—¡Uuuy! —chilló Chiquichula cuando leyó el suyo.

—¿Soy más linda que un melón? —gritó Chiquichula—. ¿Soy más fina que una gallina? Cuando sepa quién escribió esto, ya verá.

Rompió el poema en pedazos y lo tiró al suelo.

Chivito se encogió en su escritorio. Benito se había equivocado. La rima no era tan importante. Pero lo que decía la rima sí lo era. Ahora, ¿qué podría hacer?

Chivito se arrepiente

Chivito estaba arrepentido de haber escrito un poema tan feo. ¿Por qué le había hecho caso a Benito?

No sabía cómo iba a arreglar las cosas.

En el recreo, Chivito se acercó a Chiquichula y le dijo:

—Chiquichula, ¿quieres jugar?

—No tengo ganas —respondió ella—. Estoy triste.

—Te presto a mi mascota, Pecosa, para que te sientas mejor —sugirió Chivito, dándole la roca.

—Gracias. Fíjate, alguien me escribió esto: "Chiquichula en mi salón es más linda que un melón".

—Ay —respondió Chivito—,
qué feo. Yo diría . . . eh . . .
"Chiquichula en mi salón . . .
eh. . . tiene un gran corazón".

—Mmm. Y dice que tengo
orejas como bandejas.

—Yo diría: "Tiene lindas
orejitas, peludas y . . . rosaditas".

—Ji, ji, ji —rio Chiquichula.

—¿Te sientes mejor, Chiquichula? —le preguntó Chivito.

—Mucho mejor —dijo ella.

—Yo también —añadió Chivito. Arrancó una margarita que crecía en el pasto y se la entregó.

Ahora sí que Chivito se sentía como todo un poeta.

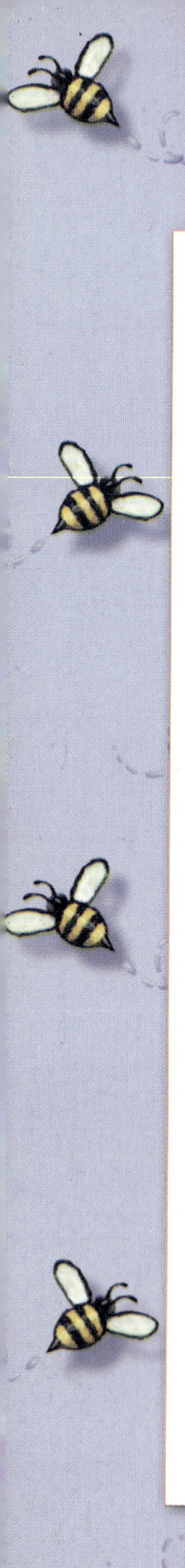

Chiquichula llegó a la escuela,

y Chivito se enamoró.

Le escribió un poema muy feo

pero luego se arrepintió.

¡Ay, Chiqui-chú,

qué chula eres tú!

¡Ay, Chiqui-chú,

mi amiga eres tú!

*Se canta con la melodía de "La pájara pinta".